C0-ANA-676

MAFALDA 5

QUINO

EDITORIAL NUEVA IMAGEN

ESCOLLO 316, MÉXICO 20, D.F.
CORRESPONDENCIA: APARTADO POSTAL 600, MÉXICO 1, D.F.

DÉCIMA EDICIÓN: OCTUBRE DE 1981

IMPRESO EN MÉXICO

ISBN 968-429-096-9
(La colección completa)

Tomo 1 ISBN 968-429-257-0
Tomo 2 ISBN 968-429-258-9
Tomo 3 ISBN 968-429-259-7
Tomo 4 ISBN 968-429-260-0
Tomo 5 ISBN 968-429-261-9
Tomo 6 ISBN 968-429-262-7
Tomo 7 ISBN 968-429-263-5
Tomo 8 ISBN 968-429-264-3
Tomo 9 ISBN 968-429-265-1
Tomo 10 ISBN 968-429-266-X
Tomo 11 ISBN 968-429-267-8
Tomo 12 ISBN 968-429-268-6

. a mis 2 hermanos 2
. a mi tío Joaquín

¡qué emotivo!
¡se nos puso familiar, el autor!

-"Juro que no morí"

Paul Mc Cartney

641

TIC...

DEBIERA HABER UN DÍA A LA SEMANA EN QUE LOS INFORMATIVOS NOS ENGAÑARAN UN POCO DANDO BUENAS NOTICIAS

642

¿NOSOTROS VAMOS A SALIR A VERANEAR?

?
QUINO

AH...

¿VERANEAR NOS VA A SALIR A NOSOTROS?...

¡HABLEMOS DE VERANEO, MAFALDA! ¡ME ENCANTA HABLAR DE SALIR A VERANEAR!... ¡CHARLAR DE LOS PREPARATIVOS!...
643

¡COMENTAR LAS EMOCIONES DEL VIAJE!... ¡ME PASARÍA LA VIDA HABLANDO DE TODO ESO Y DE NADA MÁS QUE DE TODO ESO!

PORQUE, ¿SABÉS? ¡LA SEMANA QUE VIENE ME VOY DE VERANEO!
¡QUÉ CASUALIDAD!

YO TAMBIÉN, SUSANITA
¿AH, SÍ?

MI TÍA CLARITA SE QUEDÓ SIN MUCHACHA, ADEMÁS TIENE REUMA Y UN HIJO EN VENEZUELA Y HOY EN CASA SE DESCOMPUSO LA TV ¿AUMENTÓ EL PAN? LEÍ QUE DORIS DAY.....

644
CONTAME, MAMÁ ¿CÓMO ES EL LUGAR DONDE VAMOS A VERANEAR?

¡AH,... ESTUPENDO!... ¡CON MARAVILLOSOS LAGOS RODEADOS DE MONTAÑAS Y BOSQUES HERMOSÍSIMOS!

¿Y QUIÉN HIZO TODO ESO TAN LINDO?
TODO ESO TAN LINDO LO HIZO DIOS

¡QUÉ LÁSTIMA QUE AQUÍ LE DIERAN LA LICITACIÓN A OTROS!

VOS, A LOS LAGOS DEL SUR; YO, A LA PLAYA.....¿NO ES MARAVILLOSO ESO DE IRSE POR AHÍ A VERANEAR?
645

PORQUE,.....HAY QUE VER QUE **NO CUALQUIERA** PUEDE PAGARSE UN VERANEO ¡¡NNÓ-NNÓ-NNÓ!!

¡AH! ¿Y ESO TE PARECE MARAVILLOSO? ¡PENSALO! ¿ES PARA ALEGRARSE? ¿EHÉ?

¡QUÉ QUERÉS!... ¡YO LO PIENSO...¡¡Y TE JURO QUE ME AGARRA TODO POR AQUÍ UN STATUS!!...

¿ASÍ QUE MAÑANA SALÍS DE VERANEO PARA LOS LAGOS DEL SUR? ¡QUÉ BUENO!
SÍ, MI MAMÁ FUÉ ALLÁ CUANDO SE CASÓ Y DICE QUE ES MUY LINDO
646

¡¡ES QUE CUANDO UNO SE CASA, DEBE SER TODO TAN HERMOSO!!...
¿EHÉÉÉ, FELIPE?

¡¡NOOOOOOOOOO
¡TUMP!

¡JÁH!.... ¡ESTE FELIPE!... ESTUVO GRACIOSO, ¿NO? ¡EL MUY BOBO NO SE DIÓ CUENTA QUE LO DIJE EN BROMA!

¡PERDEMOS EL TREN, MAFALDA! ¿QUÉ HACÉS AHÍ CON ESO?
647

QUERÍA QUE QUEDARA GUARDADO MIENTRAS ESTAMOS DE VACACIONES

¡MAH!....¡DEJALO ASÍ COMO ESTÁ Y VAMOS, QUE NO LE VA A PASAR NADA!..

¡DIOS LO OIGA!

¡LÁSTIMA QUE MAMÁ DUERMA, PAPÁ!¡ES TODO TAN LINDO!.. ¡SEMBRADOS Y SEMBRADOS!...
648

¡EH!... ¡Y VAQUITAS!

¡OH!..Y ESA POBRE GENTE!..¡QUÉ RANCHITO MISERABLE!...

"PINTORESCO", NENA, "PINTORESCO"

POR ESTA ZONA EL PANORAMA SE PUSO UN POCO TRISTE, ¿NO, PAPÁ?
649

SÍ, LA TIERRA NO ES MUY FÉRTIL, AUNQUE HAY MUCHA RIQUEZA; OÍSTE HABLAR DEL PETRÓLEO, SUPONGO

¿PETRÓLEO? SÍ, CLARO. Y MÁS DE UNA VEZ......

.....POR ESTA ZONA EL PANORAMA SE PUSO UN POCO ESPESO, ¿NO, PAPÁ?
QUINO

650
ZAPALA
¡BUENO!..
¿POR QUÉ BAJAMOS ACÁ?

PORQUE DESDE AQUÍ EM-PEZAMOS A RECORRER EN ÓMNIBUS LA ZONA DE LOS LAGOS
¡AH! ¿NO SEGUIMOS MÁS EN EL TREN?
NO

ENTONCES ESPEREN
?
QUINO

ADIÓS... Y PERDONÁ EL DÉFICIT

651
¿Y, MAFALDA? ¿QUÉ TE PARECE?

¡¡DIOS MÍO!! ¡ESTO ES TAN HERMOSO, QUE LOS HOMBRES SE LAS VAN A VER EN FIGURILLAS PARA ECHARLO A PERDER!

652
¿POR QUÉ HAY TANTAS FLORES? ¿POR QUÉ ES TODO TAN LINDO ACÁ?

SEGÚN CUENTA UNA LEYENDA, CUANDO DIOS ESTABA HACIENDO EL MUNDO SE SENTÓ A DESCANSAR POR AQUÍ, SE QUEDÓ DORMIDO... Y SIN QUE SE DIERA CUENTA SE LE CAYERON TODAS ESTAS COSAS HERMOSAS

ESA LEYENDA.... ¿NO ADVIERTE NADA SOBRE RECLAMOS PASADAS 48 HORAS?

653
HOSTERÍA
¡OH-OH! ¡ESTO ES PARA UNA FOTO!

¿Y?

NO PUEDO.... ME PARTE EL ALMA **VERME** CUANDO SE ME ACABEN LAS VACACIONES

654

QUINO

A VOS LA MODESTIA DEBE IMPORTARTE UN PITO, ¿NO?

655

TIC!

¡VAYA HORÓSCOPO!

QUINO

657
WOW! IT'S BEAUTIFUL!
LOOK OVER THERE!
BOY, WHAT A VIEW!

GEE!...THAT'S THE MOST EXCITING MOUNTAIN I'VE SEEN IN ALL MY LIFE!
YEAP!
AND WHAT ABOUT THAT WATER FALL, THERE?
THE LITTLE ISLAND, DAD! WATCH THE LITTLE ISLAND!
IT'S LIKE A PANORAMIC VISION FILM! ISN'T IT?
LET'S CATCH SOME TYPICAL TREES

¡PRONTO, POR FAVOR!... ¡DÍGANME LO MÁS GAUCHESCO QUE SE LES OCURRA!

658

PROHIBIDO
HACER
FUEGO

DIRECCIÓN DE PARQUES NACIONALES
¡CÓMO!..

¿NO FUÉ U-THANT QUIEN LO DIJO?

¿Y SI EN VEZ DE VOLVER A CASA NOS QUEDÁRAMOS A VIVIR AQUÍ? ¡ES TODO TAN LINDO!...

659

NO PODEMOS, MAFALDA. A PAPÁ SE LE ACABAN LAS VACACIONES Y DEBE VOLVER A LA OFICINA; Y VOS A LA ESCUELA Y YO A OCUPARME DE LA CASA

BUENO, DESPUÉS DE TODO, ¿EN QUÉ OTRA COSA PUEDE EMPLEAR SU TIEMPO UN ÁRBOL?

QUINO

HOLA, ¿QUÉ LES PASA A TODOS?
QUE DENTRO DE UNA SEMANA EMPIEZAN LAS CLASES
661

YA VEO QUE SERÁ UNA LARGA SEMANA DE EXTREMAR PRECAUCIONES PARA NO ANDAR PISANDO ÁNIMOS
QUINO

NO ES POSIBLE QUE PORQUE EL LUNES EMPEZAMOS A IR A LA ESCUELA ESTEMOS TAN ALICAÍDOS, FELIPE
662

HAY QUE SOBREPONERSE Y COMPRENDER QUE, DESPUES DE TODO, VAMOS POR NUESTRO BIEN ¡SÍ, SEÑOR!

¡SÍ YA LO SÉ!...¡SI A MÍ LO QUE ME AMARGA NO ES IR DURANTE EL AÑO ENTERO A LA ESCUELA,... NI EL ESTUDIO, NI LA MAESTRA, NI LOS DEBERES, NI NADA DE ESO!

SÍ NO TODOS ESOS MALDITOS DÍAS DE CLASE!
QUINO

¿Y POR QUÉ JUSTAMENTE YO TENGO QUE IR A LA ESCUELA? ¡SI LO ÚNICO QUE PRETENDO DE LA VIDA ES CASARME Y TENER HIJITOS!
663

SI SOLO ME ENSEÑARAN A LEER Y SACAR CUENTAS,...¡BUENO!..ES ÚTIL PARA CUANDO VAYA A HACER LAS COMPRAS

PERO ¿Y TODO LO DEMÁS? ¡DÍGANME! ¿DE QUÉ ME SIRVE TODO LO DEMÁS? ¡A VER!

¡ALGUIEN QUE ME EXPLIQUE CÓMO CONGENIAR PRÓCERES CON RAVIOLES!
QUINO

NO HAY QUE AMARGARSE PORQUE EMPIEZAN LAS CLASES, MANOLITO. ES POR NUESTRO BIEN QUE DEBEMOS ESTUDIAR
¡SERÁ, PERO CUESTA!
664

CUESTA, SÍ; PERO ESO ES LO BUENO: LIBRAR LA BATALLA CONTRA LA IGNORANCIA...¡Y VENCERLA!

BUENO, PERO LA POSICIÓN DE MANOLITO ES BASTANTE PECULIAR EN ESA BATALLA
QUINO

HAY QUE COMPRENDER QUE EL POBRE LLEVA EL ENEMIGO SOBRE LOS HOMBROS
¡TOC! ¡TOC!

GUARDAPOLVOS Y DELANTALES
BIEN, LLEVO ESTE
¿ESTE?
665

P-PE-PERO.... ¿ESTE?

SÍ, MAFALDA, ESE. LEVANTÁNDOLE EL DOBLADILLO Y ACORTÁNDOLE LAS MANGAS TE SERVIRÁ TAMBIÉN PARA EL AÑO QUE VIENE

¡ME NIEGO A QUE ME ANDEN COSIENDO Y DESCO-SIENDO EL PORVENIR!
QUINO

BUEEEENO.... DOS DÍAS MÁS Y.... ¡A CLASE!
676

¿QUÉ SENTIRÁ UN PARACAIDISTA DOS METROS ANTES DE LLEGAR AL SUELO CON EL PARACAÍDAS CERRADO?
QUINO

CUANDO VOS ERAS CHICO, ¿TE ANGUSTIABAS MUCHO PORQUE EMPEZABAN LAS CLASES?
¿ANGUSTIARME YO?
¿CÓMO SE TE OCURRE?
667

¡JHÁ! ¿YO ANGUSTIARM
"COMIENZAN EL LUNES LAS CLASES EN TODO EL PAÍS"

BUENO,... ¿POR QUÉ NO VAS A JUGAR UN POCO POR AHÍ?

668

?

ESCUELA

eme-a: ma
ASÍ; MUUUUY BIEN

¿ENTIENDES, MIGUELITO?

CAPISCO

VIMOS QUE TE TOCÓ UNA MAESTRA JOVEN, FELIPE. ¿QUÉ TAL ES?
¿MMMHH?

¡TU MAESTRA! ¿QUÉ TAL ES TU MAESTRA?

¡MMMMMMMMHHH!

¡LO QUE NOS FALTABA!..
¡¡QUE ESTE ESTÚPIDO SE PASE AL SECTOR PATRONAL!!

¡SOS UN PAPANATAS, FELIPE!...¡MIRÁ QUE ENAMORARTE DE TU MAESTRA!....¡ESA ES DE LAS QUE SON LINDAS POR FUERA!

¡PORQUE LA GENTE SE DIVIDE EN LINDOS POR FUERA...

....¡Y LINDOS POR DENTRO!

BUENO,.... TAMBIÉN ESTAMOS LOS LINDOS REVERSIBLES

¡JÁH!..¡ASÍ QUE TE HAS ENAMORADO DE TU MAESTRA, ¿EH?; PUES YO ME RÍO! ¿VES?
¡JÁH! ¡JÁH!

¡SOS UN PAPANATAS Y TE ODIO!

¡MCHUIIIIK!
¡ESTÚPIDO!
¡SÑIG!

LOS OTROS DÍAS LEÍ EN EL DIARIO CÓMO FUNCIONA LA CAJA DE CAMBIOS DEL "FORD-LOTUS" Y TAMPOCO ENTENDÍ UN PITO

HOLA, MIGUELITO. VENGO A VER SI NECESITÁS ALGUNA AYUDA CON TUS DEBERES DE PRIMER GRADO
JUSTAMENTE LOS ESTOY HACIENDO. PASÁ
673

TENGO QUE COPIAR DOS VECES ESA FRASE DE AHÍ, ¿VES?
mi mamá me ama

¡MIGUELITO!...¡COMO DESPUÉS DE HACER LOS DEBERES DEJES TODO TIRADO POR AHÍ, VAS A VER LA QUE TE ESPERA!
¿EH?

NO ES UNA FRASE MUY COMPROMETIDA CON LA REALIDAD, PERO.....¡EN FIN!....

674
¡MÍA!

¡TUP!

FSSSSSSSSSS

FSSSSSSS
BUENO, PERO... ¡QUÉ HONOR PARA LA PELOTA!

685

¡ESCÚCHENME TODOS!
¡SOY EL FAMOSO
TROMPETISTA
DE COLOR!

TUUUT-TUEEET-TUUUTÚT
TUET-TUT-TUT-TUTUTÚTUT
TUUT-TÚT-TUT-TUEET-TÚT
TUUUUUUUUUUUUUUT
TUTUTÚ-TUET-TUEET-TÚT
TUT-TUT-TUUUT-TUTUTÚT

¡QUÉ MANGA
DE RACISTAS!

EMPIEZA EL
OTOÑO, MANOLITO,
..... TAN POÉTICO....
..... TAN GRIS.....
676

....¡TAN PARECIDO
A UNA
DEVALUACION!..

677

ACABO DE ENCONTRAR ALGO QUE SE TE CAYÓ DE LA CABEZA, MIGUELITO
¿DE LA CABEZA?... ¿QUÉ ES?

ESTO; TENDRÁS QUE CUIDARTE DURANTE EL OTOÑO PARA NO QUEDARTE CALVO

¡JHÁ-JHÁ JHÁ-JHÁ!....

QUINO

678

¡Y AHORA, CON USTEDES, EL FAMOSO TROMPETISTA DE COLOR!.....

TUET-TUT-TUT TÚTÚÚÚÚ-TUT-TUTÚTUT-TUT-TUEET-TUEET-TUT-TUUUTUT TÚUUUUUUT TUT

¡BASTA, CON ESA TROMPETITA!

QUINO

¿EL JAZZ TE ENTRISTECE?

677

¡Y AQUÍ NO HAY ESCALAFÓN QUE VALGA..... TODO EL MUNDO DEBE RESIGNARSE A SER DURANTE TODA LA VIDA, SU PROPIO PEÓN DE LIMPIEZA!
QUINO

680

HOLA, SOY EL FAMOSO TROMPETISTA DE COLOR ¿TE GUSTARÍA ESCUCHAR ALGO? ¿SÍÍÍÍ? ¡MUY BIEN!

TUT-TÚT-TÚT-TÚT-TÚT-TUTÚTU-TUET TÚTUTÚÚÚÚTUT TUT-TUT-TUT-TUTÚ TÚT-TUT

¡CLARO!..¡ES QUE ESTA PLAZA NO TIENE ACÚSTICA!
QUINO

681

¡ZÁS!..¡QUIÉN VIENE ALLÍ!...
¿QUIÉN?

¡AH!...

TUT-TUT-TUTUET TUUUUT-TUUUTUT TUET-TUTÚTUT-TUT TUTÚ-TUTUT-TUTUT
¡EL FAMOSO TROMPETISTA DE COLOR!...

Y AHORA ESCUCHARÁN USTEDES AL FAMOSO TROMPETISTA DE COLOR....

682

¡UF!...
¡AG!..
¡UF!...

¡PUF!... ...¡UF!.... ...¡PUF!....

BUENAS, MAFALDA
?

....ACABAN USTEDES DE ESCUCHAR, EN VERSIÓN DE LOUIS ARMSTRONG....

BUEN DÍA, NENA. ¿ESTÁ EL JEFE DE LA FAMILIA?
683

EN ESTA FAMILIA NO HAY JEFES; SOMOS UNA COOPERATIVA

¡POM!

ENTONCES.... EN AQUEL CURSO DE VENTAS NO ESTABAN TODAS LAS RESPUESTAS
QUINO

684
TENGO UNA ADIVINANZA
VEAMOS

"UNA SEÑOR
¡LA LUNA!

¡VOS LA SABÍAS, PERO ELLA NO! ¿NO PODÍAS CALLARTE?

¿PARA QUÉ? TARDE O TEMPRANO, ALGUIEN LE HUBIERA VENIDO CON EL CHISME
QUINO

MÁS INFORMACIONES; CORRESPONDEN AL EXTERIOR
685

LA UNION SOVIÉTICA RECHAZÓ HOY...
"UNA PROPUESTA DE ESTADOS UNIDOS"

...UNA PROPUESTA DE ESTADOS UNIDOS
¡AHÍ ESTÁ! ¿NO TE DIGO?

LO BUENO QUE TIENE ESTE MUNDO ES QUE ¡ÑIC!, FUNCIONA COMO UN RELOJ
QUINO

¿SABÉS, MANOLITO? ESTABA PENSANDO...
¿EN QUÉ?
686

EN QUE SI JUNTAMOS TOOOOOOODO LO QUE HICISTE EL AÑO PASADO EN LA ESCUELA...

...Y A ESO SUMAMOS...

....TOOOOOODO LO QUE HAS HECHO EN ESTAS SEMANAS QUE VAN DE CLASES....

...MÁS O MENOS POR ESTOS DÍAS DEBES ESTAR POR CUMPLIR TUS BESTIALIDADES DE PLATA, ¿NO?

QUINO

¡ESE CASCO LLENO DE AGUJEROS NO SIRVE; DEJA ENTRAR TODAS LAS BALAS!
687

PERO DEJA SALIR TODAS LAS IDEAS

PRIMERO EXPLOTÓ EL CALEFÓN Y VOLÓ LA MITAD DE MI CASA,....
688

...LUEGO REVENTARON LAS CAÑERÍAS Y SE INUNDÓ TODO EL RESTO, MIENTRAS UN CORTOCIRCUITO INCENDIABA LO QUE SOBRESALÍA DEL AGUA,...

...MAS TARDE VINIERON UNOS LADRONES Y NOS ROBARON LO QUE QUEDABA,...
...Y DESPUÉS, AL BORRAR UN POCO SE ME ROMPIÓ LA HOJA DEL DEBER, SEÑORITA

VOS, QUE SIEMPRE ANDÁS DALE QUE DALE CON EL ALMACÉN DE TU PAPÁ, LA PLATA Y LOS NEGOCIOS, ESCUCHÁ ESTO QUE VOY A LEERTE

"EL DINERO NO HACE LA FELICIDAD"

SÍ,.... SÍ ESO YA LO SÉ.....

.... PERO A MÍ LO QUE ME ENTUSIASMA ES LA MAÑA QUE SE DA PARA IMITARLA

690

ES EXTRAÑO;..... ASÍ, DE GOLPE, ME HE ACORDADO DE LOS QUE MANEJAN LA POLÍTICA MUNDIAL

"Victor ve la uva de la viña.
-¿Es buena esa uva, Don Braulio?"
691

"-Sí, Victor, esa uva es buena.
-¡Don Braulio, vea los barriles de buen vino!"

HABRÍA QUE LEVANTAR UN MONUMENTO A ESTOS SACRIFICADOS AUTORES QUE EN VEZ DE ESCRIBIR COSAS TRASCENDENTES PREFIEREN ENSEÑARNOS A LEER
QUINO

...Y ESTE HA SIDO EL PANORAMA MUNDIAL
692

¡MAFALDA!... ¿HAS ESTADO SACANDO MIS CREMAS?

LAS DE EMBELLECER, SOLAMENTE
QUINO

"BIEN, QUERIDOS AMIGUITOS, HOY CONTINUAREMOS HABLANDO SOBRE EL HOMBRE PRIMITIVO: EL HOMBRE PRIMITIVO RENDÍA CULTO AL FUEGO, A LA LLUVIA, AL TRUENO,..."

693

..."EN FIN, DIVINIZABA TODO AQUELLO QUE LE RESULTABA INEXPLICABLE, QUE SU MENTE ERA INCAPAZ DE COMPRENDER,"...

QUINO
¡ZÁS! ¡YA LO VEO A ESTE, DIVINIZANDO TODO LO QUE ENSEÑAN EN LA ESCUELA!

¿LEYERON LOS DIARIOS? ¡UN SATÉLITE RUSO QUE ESTABA EN ÓRBITA DESAPARECIÓ MISTERIOSAMENTE!
¿MISTERIOSAMENTE?
694

SÍ,....LOS SABIOS DICEN QUE ES POCO PROBABLE QUE SE HAYA DESINTEGRADO EN LA ATMÓSFERA Y QUÉ SÉ YO; LA CUESTIÓN ES QUE NADIE SABE DÓNDE ESTÁ!

¿QUÉ HARÍAS SI DE PRONTO APARECIERA UN PLATO VOLADOR?
¿EH, SUSANITA?
697

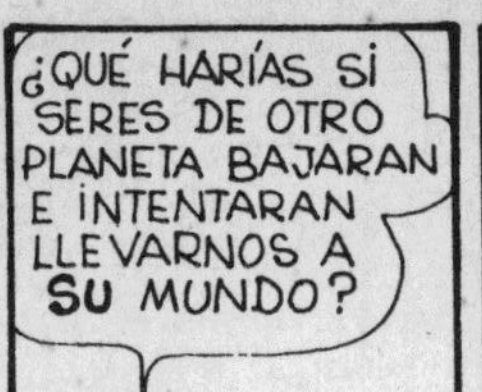
¿QUÉ HARÍAS SI SERES DE OTRO PLANETA BAJARAN E INTENTARAN LLEVARNOS A **SU** MUNDO?

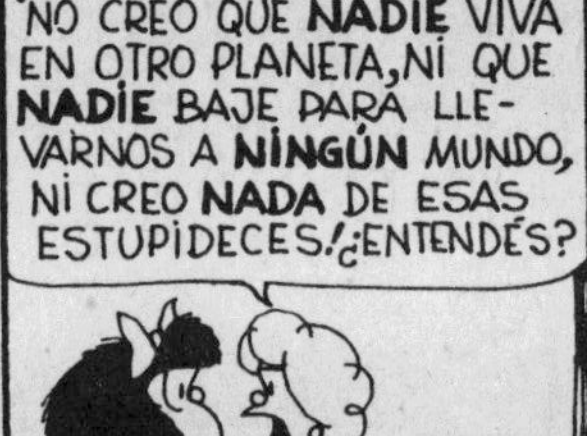
¡NO HARÍA NADA! ¡PORQUE NO CREO QUE **NADIE** VIVA EN OTRO PLANETA, NI QUE **NADIE** BAJE PARA LLEVARNOS A **NINGÚN** MUNDO, NI CREO **NADA** DE ESAS ESTUPIDECES! ¿ENTENDÉS?

QUINO

NO QUIERO ECHARTE, FELIPE, PERO SON LAS CUATRO Y MEDIA, ¿NO TENDRÍAS QUE IRTE A TU CASA A HACER LOS DEBERES?
HAY TIEMPO
698

SEIS MENOS DIEZ, FELIPE,..... TUS DEBERES
ENSEGUIDA VOY Y LOS HAGO EN DOS PATADAS

¡PERO FELIPE! ¡MIRÁ QUE SON LAS SIETE Y VEINT
¡NO!... ¿YA?

¡PERO CÓMO!... ¡LAS CUENTAS!... ¡SUJETO Y PREDICADO!... ¡EL MAPA!... ¡¿Y AHORA CÓMO HAGO?!
ENTERNECE VERLO CON TODA ESA IDIOSINCRACIA NACIONAL
QUINO

695
¿A QUÉ PODRÍAMOS JUGAR?

¡YA ESTÁ! ¡JUGUEMOS A CUALQUIER COSA! ¿EÉH? ¡SERÍA BUENO! ¿NO? ¡VAMOS! ¿EÉÉH?

SÍ, BUENO, PERO, ¿A QUÉ?

¡QUÉ SÉ YO! ¿DESDE CUANDO LOS ENTUSIASTAS TENEMOS QUE DAR SOLUCIONES?
QUINO

MAMÁ
696

¿QUÉ?

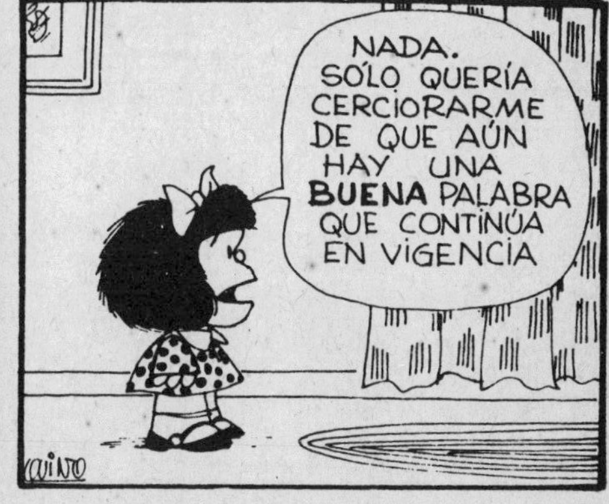
NADA. SÓLO QUERÍA CERCIORARME DE QUE AÚN HAY UNA **BUENA** PALABRA QUE CONTINÚA EN VIGENCIA
QUINO

PAPÁ, SI LA CIGÜEÑA TRAE A TODO EL MUNDO DESDE PARÍS, HASTA QUE LLEGAMOS Y NOS ANOTAN AQUÍ SOMOS TODOS FRANCESES, ¿NO?

699

NECESITO QUE ME ACONSEJES, MAFALDA
VEAMOS DE QUÉ SE TRATA, SUSANITA
700

DECIME,..... ¿QUÉ PUEDO HACER CON UNA PERSONALIDAD TAN INTERESANTE COMO LA MÍA?
QUINO

701

QUINO

NUEVA GESTION PARA LOGRAR EL DESARME
702

NUEVA GESTION PARA LOGRAR EL DESARME

¡NOC!

¡DESPUÉS SOY YO LA PESIMISTA!...
QUINO

HOY NO TENGO GANAS DE IR A TRABAJAR, ASÍ QUE PIENSO QUEDARME EN LA CAMA ¡ESO ES!
703

BUENO, MEJOR ME LEVANTO A PREPARAR EL DESAYUNO, SI NO DESPUÉS ANDÁS A LAS CORRIDAS PARA NO LLEGAR TARDE A LA OFICINA

EL MATRIMONIO ESTÁ LLENO DE PEQUEÑOS SOBREENTENDIDOS
QUINO

704
¿QUÉ VAS A HACER, MAFALDA?
JUGAR A LA LIBERTAD

¿A LA LIBERTAD? ¿Y CÓMO?
PUES ASÍ....

...CON UNA LAMPARITA QUEMADA EN LA DERECHA...

....Y UN LIBRO DE CUENTOS EN LA IZQUIERDA
QUINO

¿Y A ESTA QUÉ LE PASA?

DICE QUE ES LA LIBERTAD ILUMINANDO AL MUNDO

¿ILUMINANDO AL MUNDO? ¡PERO SI ESA LAMPARITA ESTÁ QUEMADA!...

¡CLARO!... ¡LA MALDITA TENSIÓN MUNDIAL!...
QUINO

¿SE PUEDE SABER QUÉ DIABLOS HACÉS AHÍ?
SOY LA LIBERTAD
706

"¡LA LIBERTAD!"... ¿SABÉS CÓMO VAS A QUEDAR SÍ TE CAÉS DE AHÍ Y SE TE REVIENTA ESA LAMPARITA?

SÍ,.... COMO LA LIBERTAD
QUINO

¿QUIÉN SE SUPONE QUE SOS?
707

¡LA LIBERTAD, ILUMINANDO AL MUNDO CON SU REFULGENTE LUZ!.....

...DE 15 WATTS
QUINO

¡BASTA YA CON ESO DE QUE SOS LA LIBERTAD!...¡Y, BAJATE DE AHÍ, QUE PODÉS CAERTE!
708

ADEMÁS LA LIBERTAD TIENE QUE SER GRANDE; Y VOS SOS CHICA

¿CHICA?

¡FUNCIONAL!
QUINO

?

¿HAN PROBADO UDS. LOS EXCELENTES GARBANZOS PARA EJECUTIVOS QUE VENDE ALMACÉN "DON MANOLO"?

HOY MI MAESTRA VINO CON LA NOTICIA DE QUE COLÓN DESCUBRIÓ AMÉRICA

PERO RESULTA QUE ESO FUÉ EN 1492

¡1492!
¿TE DAS CUENTA?

¡A MI MAESTRA LE FALTA LA AGILIDAD INFORMATIVA DE LA UNITED PRESS!
QUINO

¡YO NO PRETENDO QUE LA MAESTRA NOS TRAIGA LOS MAS RECIENTES DESCUBRIMIENTOS ESPACIALES, PERO ESO DE QUE VENGA Y DIGA......
711

"CRISTÓBAL COLÓN DESCUBRIÓ AMÉRICA EN MIL CUATROCIENTOS NOVENTAYDOS"

.... NO ES PRECISAMENTE UN CABLE DE ÚLTIMO MOMENTO!
¿NO?
QUINO

¡YO CREÍ QUE LA ESCUELA ERA OTRA COSA.....Y NO UN LUGAR EN QUE ENSEÑAN VEJECES!
712

¡QUE COLÓN, QUE LOS CONQUISTADORES, QUE LOS INDIOS, QUE TAL BATALLA, QUE TAL OTRA!... ¡TODO DEL TIEMPO DE ÑAUPA!

¡PERO ASÍ ES LA HISTORIA, HOMBRE! ¿CÓMO QUERÉS QUE TE LA ENSEÑEN?

¡PARA ADELANTE!
QUINO

ME MANDA MI MAMÁ A COMPRAR ACEITUNAS. ¿QUÉ TAL ESTÁN, MANOLITO?
¡AAAH!.. ¡PARA EJECUTIVOS! ¡PROBÁ UNA!

¡PTUAJ!
713

LO QUE PASA ES QUE LA GENTE TIENE UNA IMAGEN IDEALIZADA DE LOS EJECUTIVOS

714

BUENAS TARDES, ¿NO DESEAN COMPRAR
¡NO!

¿Y AHORA QUÉ CUERNOS HACE UNO CON ESTA SONRISA?

¡ÚÚÚJHUU!

¿QUÉ ES, PAPÁ? ¿QUÉ HAS TRAÍDO?

AH,....¿EL MONUMENTO A LA SITUACION INTERNACIONAL?

¡CON RAZÓN LOS CHINOS QUIEREN CAMBIAR EL MUNDO!

CUANDO SEA GRANDE VOY A CASARME CON UN INDUSTRIAL QUE TENGA MUCHOS, PERO MUCHOS MILLONES

717

PERO LUEGO, EN UN VIAJE POR NEGOCIOS, ÉL SE ESTRELLARÁ CON SU AVIÓN PARTICULAR Y YO QUEDARÉ VIUDA,...¡DIOS MÍO!

¡BUÁÁÁÁ!...

¡SÑIF!..

QUINO
AY-AY-AY,... ¡QUÉ VIDA ESTA!

¡QUÉ MUNDO ESTE!.... NOSOTROS COMEMOS TURRÓN MIENTRAS OTROS NO TIENEN QUÉ LLEVARSE A LA BOCA
718

¡VOS SIEMPRE IGUAL!

QUINO

IGUAL NO, ¡AYER ERA MÁS JOVEN!

719
AQUÍ DICE QUE UN CONFLICTO NUCLEAR PODRÍA PROVOCAR LA MUERTE DE UNOS 700 MILLONES DE PERSONAS

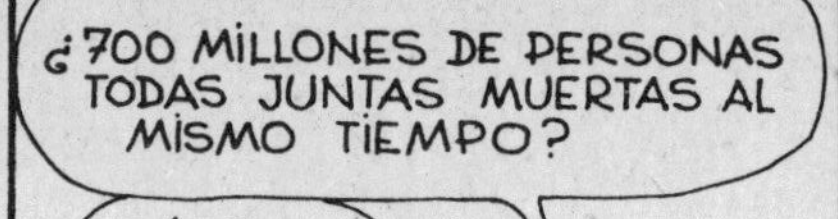
¿700 MILLONES DE PERSONAS TODAS JUNTAS MUERTAS AL MISMO TIEMPO?
ASÍ PARECE

¡QUÉ ASCO!;EN SEMEJANTE PROMISCUIDAD, QUIÉN SABE QUÉ GENTUZA LE TOCA A UNO COMO COMPAÑERA DE MASACRE!

720
ESTA MAÑANA LA MAESTRA CREYÓ QUE ERA YO LA QUE ESTABA CONVERSANDO EN CLASE Y ME RETÓ

LUEGO AL MEDIODÍA LLEGUÉ A CASA Y ¡ZÁS!...¡MI MAMÁ HABÍA HECHO SOPA!

A LA TARDE VINO SUSANITA Y CON EL BRAZO DEL TOCADISCOS ME RAYÓ EL LONG-PLAY DE LOS BEATLES

REALMENTE,....HA SIDO UNO DE ESOS DÍAS EN QUE LO MALO DE UNO SON LOS DEMÁS

¡QUÉ RARO, MAFALDA! ¿VOS JUGANDO A LA MAMÁ?
BUENO, PUES... SÍ
QUINO

DE VEZ EN CUANDO CONVIENE SACAR A PASEAR UN POCO EL INSTINTO

BUENO,.... YO NACÍ; Y A LOS CINCO MESES ME SALIÓ EL PRIMER DIENTE
757

LUEGO, A LOS DOS AÑOS, YA HABLABA BASTANTE BIEN. DESPUÉS FUÍ AL JARDÍN DE INFANTES....

...AHORA VOY AL PRIMER GRADO DE LA ESCUELA Y, ¡EN FIN!... ESO ES TODO

LO MALO DE SER CHICO ES QUE UNO TERMINA DE CONTAR SU VIDA EN DOS PATADAS
QUINO

758
¿NOSOTROS LLEVAMOS UNA VIDA DECENTE, MAMÁ?
¡POR SUPUESTO!
¿Y HACIA DONDE LA LLEVAMOS?

¡ESTOY HARTO DE LA ESCUELA! ¿ENTIENDEN?
¡HARTO!
¡ASÍ QUE FINISH!.. ¡NO VOY MÁS!
¡Y NO ME VENGAN CON DISCURSITOS, PORQUE NO ME VAN A CONVENCER!
¡HAY QUE VER LA ORATORIA QUE TIENE LA ZAPATILLA DE MI MAMÁ!

759

¿QUÉ PASA, MIGUELITO? ¿QUÉ HACÉS AHÍ ABAJO?
QUINO

TENGO MIEDO DEL IMPUESTO A TODO

Selecciones
760

Selecciones

"LA VIDA COMIENZA A LOS CUARENTA"
Selecciones

¡¿Y ENTONCES PARA QUÉ CUERNOS NOS HACEN VENIR CON TANTA ANTICIPACIÓN?!
QUINO

...¡ENTRA AL ÁREA CON PELOTA DOMINADA! ¡SALE A MARCARLO UN HOMBRE! ¡LO ELUDE! ¡PELIGRO! ¡VA A REMATAR!!!...

A VECES ME PREGUNTO SI ESTOY REALMENTE EN BUENAS MANOS
QUINO

ESCUCHÁ ESTO, MIGUELITO: "EL METEORÓLOGO MORRIS SUCGER, DE LA UNIVERSIDAD DE CALIFORNIA..."

"...DECLARÓ QUE LA CONTAMINACIÓN INDUSTRIAL DEL AIRE..."
QUINO

"...PODRÍA EXTERMINAR A LA HUMANIDAD PARA EL AÑO 2064"

ME PREGUNTO QUÉ HARÉ YO, VIEJITO Y SOLO, EN TODO ESTE MUNDO DESPOBLADO

TORNEO de CANASTA

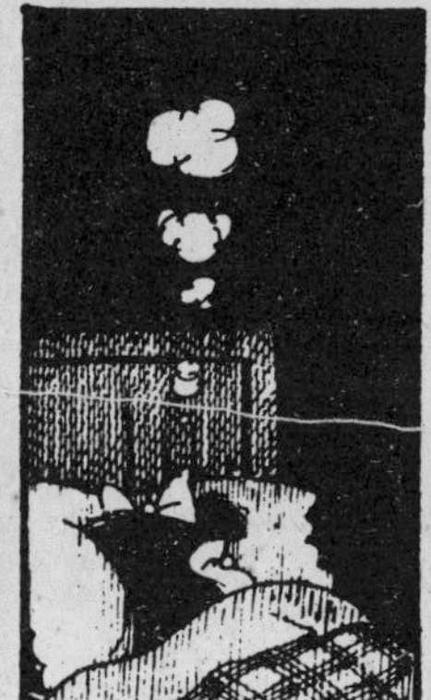

MENOS MAL QUE ME DESPERTÉ
QUINO

PORQUE SÍ ÀLGO ME DÁ. RABÍA ES GASTAR EL SUBCONCIENTE EN SOÑAR ESTUPÍDECES

SUIIIIIIISH

SUIIIIIIISH

¡NOC!

NO ENTÍENDO QUÉ PUEDE HABER FALLADO
QUINO

767

?

HOY MI MAESTRA NOS ENSEÑÓ QUE DOS MÁS DOS ES CUATRO
768
LUEGO NOS HIZO PASAR A VARIOS CHICOS AL PIZARRÓN PARA QUE SUMARAMOS "DOS MÁS DOS CUATRO

DESPUÉS TOOOOOODOS COPIAMOS EN NUESTROS CUADERNOS: "DOS MÁS DOS: CUATRO"
TE JURO QUE NUNCA ME SENTÍ TAN LEJOS DE VON BRAUN
QUINO

769

COMO SIEMPRE; APENAS UNO PONE LOS PIES EN LA TIERRA SE ACABA LA DIVERSION

MI TÍA CLARITA TIENE UNAS TAZAS CHINAS, PARA TÉ, ¡DIVINAS!
770

SON DE CUANDO LOS CHINOS HACÍAN COSAS LINDAS. PORQUE ANTES LOS CHINOS NO ERAN MALOS, NO

PERO PARECE QUE LUEGO, LA VIDA, LAS MALAS COMPAÑÍAS, ¡EN FIN!....

YO NO SÉ QUÉ LE PASÓ A ESOS MUCHACHOS

¡LES ADVIERTO QUE ESTA VEZ VA EN SERIO!

¡NO VOY MÁS A LA ESCUELA!... ¡Y SAN SE ACABÓ!

¡OYE! ¿VES ESTO?

HOY EN DÍA ESTÁN MUY EN BOGA LOS MÉTODOS AUDIOVISUALES

HABÍA UN NO SÉ QUÉ DE ENCÍCLICA PAPAL EN ESA MIRADA

¡FOP!

ES QUE UNO SUBE A ESTE APARATO Y SE ENTUSIASMA

¡VIVA LA PATRIA!!

¡CANEJO!

OLVIDABA EL TOQUE AUTÓCTONO

BUENO, SI VOS DECÍS QUE ES ÁRBOL, Y NO HÁRBOL, LE BORRO LA H ¿TENDRÍAS UNA GOMA?
TOMÁ
GRACIAS
YIP-YIP-YIP-YIP-YIP
YIP-YIP-YIP-YIP
YIP-YIP-YIP...
TAL VEZ LA MAESTRA TIENE RAZÓN CUANDO ME DICE LO DEL TAMAÑO DE MI LETRA
775

ADIOS, MIGUELITO ¿ADÓNDE VAS TAN CONTENTO?
776

¡A JUNTAR TIERRA, PARA LUEGO ECHARLE AGUA Y JUGAR CON BARRO!

A PROPÓSITO, QUISIERA PEDIRLES ALGO
¿QUÉ?

SI DESPUÉS LLEGAMOS A ENCONTRARNOS RECUERDENME EN ESTA, MI VERSION ORIGINAL

....Y ESTAS HAN SIDO LAS NOTICIAS DE LA ACTUALIDAD MUNDIA
¡TIC!
777

SI TUVIERAS HÍGADO,.... ¡¡QUÉ HEPATITIS,¿EH?
QUINO

MAMÁ, ¿A LOS CUANTOS AÑOS UNA ES VIEJA?
778

DEPENDE, MAFALDA. EN REALIDAD NO ES CUESTION DE AÑOS, SINO DE MANTENER JOVEN EL ESPÍRITU

QUINO

BUENO, PERO Y EL ESPÍRITU,... ¿A QUÉ EDAD EMPIEZA A NECESITAR MAQUILLAJE?

DECIME, MAFALDA, ¿QUIEN FUÉ JUAN DE LOS PALOTES?

NADIE, MANOLITO; DECIR "JUAN DE LOS PALOTES" ES DECIR "UN CUALQUIERA"

¡ZÁS!...¡YA TENGO MAL UNA RESPUESTA EN LA PRUEBA ESCRITA DE HISTORIA!
QUINO

Siempre se tienen 20 años en un rincón del corazón

¿Y PARA QUÉ DIABLOS QUIERE UNO TODO ESE STOCK AHÍ ACUMULADO?
QUINO

¿CUANTOS PAÍSES HAY EN EL MUNDO, PAPÁ?

NO SÉ MUY BIEN,.. PERO HABRÁ UNOS 150, MÁS Ó MENOS

¿TANTOS?

ENTONCES EL PORCENTAJE DE PAÍSES QUE SIEMPRE FASTIDIAN ES MÁS BAJO DE LO QUE YO CREÍA
QUINO

782

EN VIAJE DE NEGOCIOS PARTE UN IMPORTANTE EJECUTIVO

¡EN FIN!.... ¡QUÉ VIDA ESTA!
ESCUELA
QUINO

EN LUGAR DE HACER LOS DEBERES ME PASO EL DÍA LEYENDO HIS-TORIETAS.... ¡ESTO NO PUEDE SER!
1783
¡NO ES POSIBLE QUE NO TENGA VOLUNTAD, NO SEÑOR!

¿QUÉ SOY AL FÍN: UN HOMBRE O UN RATÓN?

NORUEGA. NADIE HABLA DE NORUEGA
784

LA GENTE HABLA DE PAÍSES EN LOS QUE HAY BOMBAS, HUELGAS, ASALTOS, CAÑONAZOS, CRÍMENES, RACISMO, REVOLUCIONES,.....

PERO DE NORUEGA, NÍ A
ESTÁ VISTO QUE LA VIOLENCIA TIENE MÁS RATING QUE EL BACALAO

TOMÁ, MAFALDA, MEDIO TURRÓN PARA MÍ, MEDIO PARA VOS
OH, GRACIAS, SUSANITA

¡CROCK! ¡CROMPF! ¡GULP!
CROC CRUC
785

¡AAAAH!
CRUP CROK

CRAC CRUCH

¡MALDITA SEA MI BONDAD!

VAS A VER, A QUE ESA SOMBRA ES LA HIJA DEL CACIQUE QUE VA A DESATAR AL MUCHACHO ¿VISTE? ¡ES!

VAS A VER, A QUE AHORA ELLA CORTA LAS SOGAS CON SU PUÑAL ¡AHÍ ESTÁ!

VAS A VER, A QUE ANTES DE HUIR ÉL LA BESA ¡¿NO TE DIJE?!
788

VAS A VER, A QUE AHORA EL CENTINELA SIOUX SE DESPIERTA Y.....

¡¡VAS A VER!!
QUINO

¿DESVESTIRME PARA BAÑARME, CON ESTE FRÍO? ¡JHÁ!

¡QUE SE DESVISTA OTRO! ¡YO, JAMÁS!

¡NO PIENSO HELARME DESNUDO EN ESE MALDITO BAÑO! ¿ENTENDIERON BIEN?

ES NOTABLE LO BIEN QUE ENTENDIERON

¿HASTI ASCUCHATI DAS NOTIZIOTA RADIE?
MOPA, ¿KÁ DICHETI?
?

DICHETI KA IN BESTIAPLANĚTE HABI BRONKA
¿PETIÑI BRONKA?

MOPA; GROSATOTA BRONKA
¡POBRIKE BESTIAPLANĚTE!
TÁH, ¡POBRIKE BESTIAPLANĚTE!

..Y ESTE HA SIDO EL PANORAMA MUNDIAL A TRAVÉS DE LAS NOTICIAS

QUINO

CON TANTOS DISGUSTOS EL POBRE ENFLAQUECE

HOLA, MAFALDA, DECIME UNA COSA

SI UNO HA COMPRADO CARAMELOS ¿NO?

COMO ESTOS, POR EJEMPLO
QUINO

¿DEBE PAGAR RÉDITOS?

BUENO, EMPEZAMOS, SUSANITA
¡ESPERÁ, MIGUELITO, ESPERÁ!
794

SEÑOR: DEJO EN TUS MANOS MIS PIEZAS PARA QUE TÚ GANES ESTA PARTIDA
AMÉN
QUINO

YA OÍSTE, ¿NO? ¡ASÍ QUE NADA DE HEREJÍAS!!..

795

QUIERO FELICITAR A LOS PAISES QUE CONDUCEN LA POLÍTICA MUNDIAL

ASÍ QUE ESPERO QUE ALGUNA VEZ HAYA MOTIVOS
QUINO

796

FRAGIL
FRAGIL

ACABA DE PASAR LA PAZ EN UN CAJONCITO

¡UN SAFARI! ¡ESO SÍ QUE ME GUSTARÍA!
797

¡YA ME VEO FRENTE A UNA BESTIA ENFURECIDA! ¿QUÉ HARÍA YO, FELIPE, FRENTE A UNA BESTIA ENFURECIDA?

QUINO

¡QUÉ SÉ YO QUÉ HARÍA!..... LA COBARDÍA TIENE TANTOS MATICES......

¡TUCUTÚN; TUCUTÚN!
¡TUCUTÚN-TUCUTÚN!
¡TUCUTÚN!
¡TUCUTÚN!

¡CHUIIIIK!

¡FELIZ DÍA, CHE!

¿QUÉ TE OCURRE, MIGUELITO?

PERO, ¿QUÉ ES?
NADA, YA SE ME PASARÁ

BUENO, QUE SIENTO UN POCO DE ANGUSTIA EN ESTA UÑA. ESO ES TODO

QUE ME VENGAN DESPUES CONQUE NO HAY NADA NUEVO BAJO EL SOL

BUENO....
¡HA LLEGADO EL INVIERNO!
800

¿HAY QUE TRATARLO DE "USTED"?

Y QUE NUNCA, NUNCA, SEAMOS EL JAMÓN DEL SANDWICH INTERNACIONAL

TENGO UN CUENTO GRACIOSÍSIMO: RESULTA QUE HAY UN TIPO ESCUCHANDO UN DISCO......

¡JÁ-JÁ-JÁ! ¡UN DISCO!... ¡ES BUENÍSIMO! ¡JÁ-JÁ
¡NO HE TERMINADO, SUSANITA!!

AH
Y VIENE OTRO Y LE DICE: "¡PERO HOMBRE! ¿COMO ESCUCHA ESE DISCO, NO OYE QUE ESTÁ RAYADO?"

ENTONCES EL TIPO CONTESTA: -"¿Y A USTED QUÉ LE IMPORTA, ...TED QUÉ LE IMPORTA, ...TED QUÉ LE IMPORTA, ...TED QUÉ LE IMPORTA,"
JÍ-JÍ
¡JA-JA! ¡JA JA!

DALE, ¿Y ENTONCES?...
QUINO

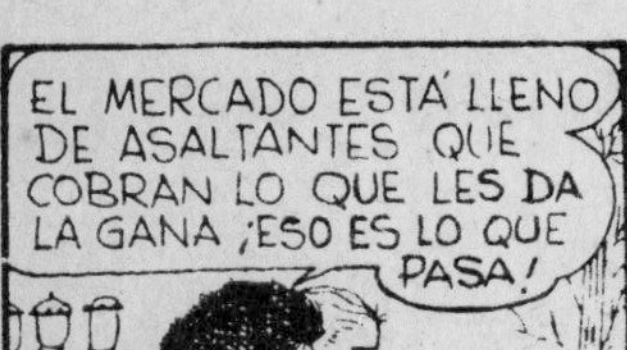
EL MERCADO ESTÁ LLENO DE ASALTANTES QUE COBRAN LO QUE LES DA LA GANA ¡ESO ES LO QUE PASA!

¡JHÁ! ¿Y LOS QUE ENGAÑAN EN EL PESO? ¡PORQUE TAMBIÉN ESTÁN LOS QUE ENGAÑAN EN EL PESO!

¡¡CALUMNIAS!!

QUINO

¿ESTARÉ EMPEZANDO A SER MÁS JOVEN QUE MI CUERPO?

ES EXTRAÑO; ME AGACHÉ A RECOGER UN LIBRO Y AL LEVANTARME ME DIÓ UNA PUNTADA EN LA CINTURA

BUENO, ¡Y QUÉ!.. A MI EDAD NO VOY A PENSAR QUE ESTOY VIEJO. DEBO HABER PESCADO UNA CORRIENTE DE AIRE

¡CLARO, ESO FUÉ! SEGURAMENTE ALGUIEN DEJÓ UNA PUERTA ABIERTA Y SIN DARME CUENTA...

....ENTRARON TREINTAYSIETE AÑOS

¡GIMNASIA!... ¡ESO ES LO MEJOR PARA NO SENTIRSE UN VEJETE ANQUILOSADO
805
VEAMOS UNAS FLEXIONES

¡CRAC!

¿CRAC?

EN LA VIDA TODO ES CUESTIÓN DE TAMAÑO, MIGUELITO
806

SI FUÉRAMOS HORMIGAS ESTE CHARQUITO SERÍA PARA NOSOTROS COMO EL CANAL DE LA MANCHA

¿DE LA QUÉ?

QUISIERA PEDIRTE CONSEJO, MANOLITO. ANDO CON UN PROBLEMA
807

¿ALGO GRAVE, SUSANITA?

¿GRAVE? NO, NO, SI EN REALIDAD ÉS UN PROBLEMA MUY ESTÚPIDO
QUINO

POR ESO PENSÉ QUE VOS PODÉS ENFOCARLO MEJOR QUE NADIE. RESULTA QUE.....

LA COMPUTADORA ZK-2-09 ACABA DE CONCLUIR LAS CUENTAS
CORRECTO, ENVÍALAS POR RAYO LASER A LA ESCUELA
808

BUENO, AHORA MISMO VOY A HACER LOS DEBERES
¡ESO ES!

SIR WILLIAM SHAKESPEARE OS TIENE LISTA LA COMPOSICIÓN SOBRE LA VACA, SIRE
O.K., RECOMPENSADLO CON ESTOS PENIQUES

¡YA MISMÍSIMO ME LEVANTO Y ME VOY A HACER LOS DEBERES!
¡SÍ SEÑOR!
QUINO

¡HE PERDIDO 32 HOMBRES Y UNA PIERNA, HERR MARISCAL, PERO LOGRÉ ARREBATAR AL ENEMIGO EL MAPA CON LOS PRINCIPALES RÍOS DE EUROPA!
GRACIAS, SCHULZ, PUEDE IRSE A TOMAR UNA BIECKERT, NO MÁS

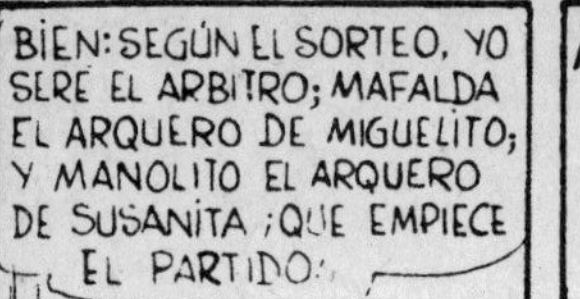
BIEN: SEGÚN EL SORTEO, YO SERÉ EL ARBITRO; MAFALDA EL ARQUERO DE MIGUELITO; Y MANOLITO EL ARQUERO DE SUSANITA ¡QUE EMPIECE EL PARTIDO!
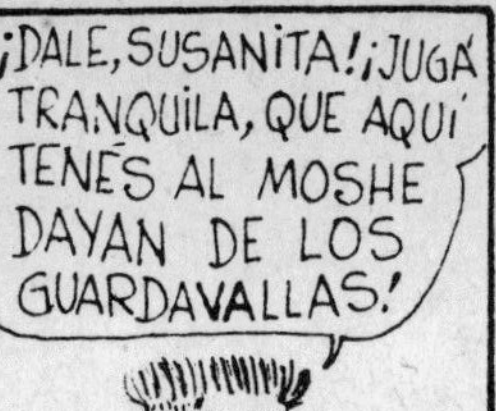
¡DALE, SUSANITA! ¡JUGÁ TRANQUILA, QUE AQUÍ TENÉS AL MOSHE DAYAN DE LOS GUARDAVALLAS!

¡TUP!

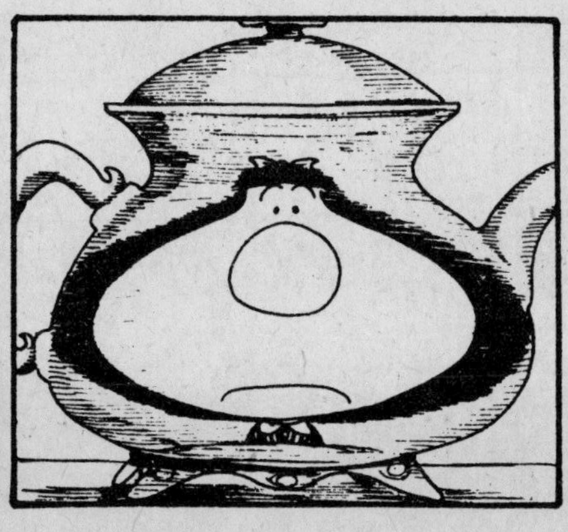

DIOS MÍO.... LO QUE DEBE SER LA POLÍTICA REFLEJADA EN ESTA TETERA

AQUÍ, ESO ES; AHORA MIRÁ QUÉ DIVERTIDO CÓMO SE VE UNO REFLEJADO EN ESTA TETERA, MIGUELITO
901

¡BUUAAA!..
QUINO

903

SI YO FUERA UN GIGANTE..... ¡YA SÉ CON QUÉ ME PEGARÍA LOS BOTONES!
QUINO

¡MOZO, OTRA ENSALADA!
¡TAMBIÉN ENSALADA PARA MÍ
¿UN POCO MÁS DE ENSALADA, QUERIDA?
¡SANTA TERMITA! ¡QUÉ ENSALADA!
¡BÁRBARA!

902

¿SEGUÍS SIEMPRE CON LA IDEA DE TENER UNA CADENA DE SUPERMERCADOS CUANDO SEAS GRANDE, MANOLITO?
¡POR SUPUESTO!

¡UNA CADENA DE ENORMES LOCALES CON MUCHO VENTANAL Y MUCHO ALUMINIO Y MUCHO ALFOMBRADO Y MUCHA CATEGORÍA Y MUCHO LUJO!... ¡Y ARRIBA DE TODO, EL CARTELÓN INMENSO!
903

MANOLO'S
QUINO

NO HAY CASO, POR MÁS QUE PIENSO, NO LOGRO IMAGINARME A 700 MILLONES DE CHINOS TODOS JUNTOS
904

VOY A EMPEZAR DE A POCO, A VER, POR EJEMPLO, 4 CHINOS
.....
CADA PUNTITO, UN CHINO

¡BIEN! AHORA MÁS CHINOS
QUINO

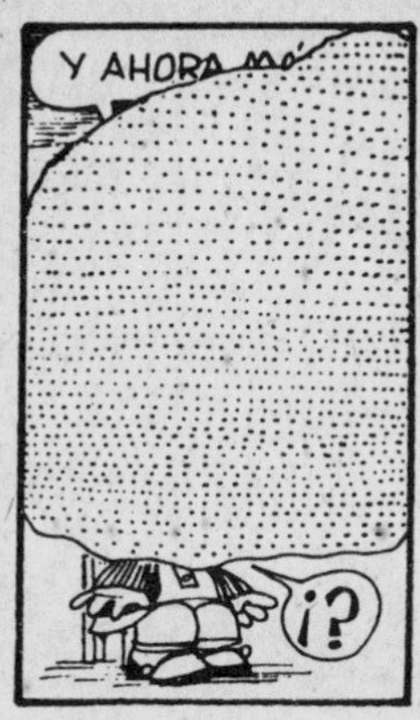
Y AHORA
¡?

¡SOCORRO!

¡UNA VA A COMPRAR CUALQUIER COSA Y ES UNA BARBARIDAD! ¡NO HAY PLATA QUE ALCANCE!

¡SON UNOS LADRONES! ¡Y LOS DEJAN COBRAR LO QUE LES DÁ LA GANA!...¡ESO ES LO QUE PASA!
905

¿A QUIÉN LE HABLÁS, MAMÁ? ¿ESTÁS HABLANDO SOLA?

¡ESTOY HABLANDO A LOS COMERCIANTES, A LOS INTERMEDIARIOS, A LAS AUTORIDADES QUE PERMITEN.....

....QUE NOS ROBEN! ¡NO ESTOY HABLANDO SOLA, NO SEÑOR!

¡TE PARECE, MAMÁ, TE PARECE!
QUINO

¡VIVA LA PATRIA!
906

¡¡VIVA!!

¡VIVA LA INDEPEN-DENCIA!!

¡¡VIVA!!

¡VIVA ALMACÉN "DON MANOLO"!
QUINO

"NO HAGAS A LOS DEMÁS LO QUE NO TE GUSTA QUE TE HAGAN A TÍ"
907

¡QUÉ LÁSTIMA!
QUINO

SI ÉL DIJERA QUE ES BUENA....
819

¡AQUÍ DIRÍAN QUE ES MALA Y LA PROHIBIRÍAN!

¿POR QUÉ ESE CRETINO DE FIDEL CASTRO NO DICE QUE LA SOPA ES BUENA?
QUINO

¡YA ME VEO AL FRENTE DE MI CADENA DE SUPERMERCADOS! ¿TE IMAGINÁS, MIGUELITO, CUANDO YO SEA TODO UN EJECUTIVO?
820

NO
QUINO

¿QUÉ HACÉS, MAFALDA?
821

NADA, MAMÁ, ESTOY MIRANDO A LA HUMANIDAD

¿¿A LA HUMANIDAD??
QUINO

¡TUC!
¡TUC!
¡TUC!
¡TUC!

¡TUC!
¡TUC!
822

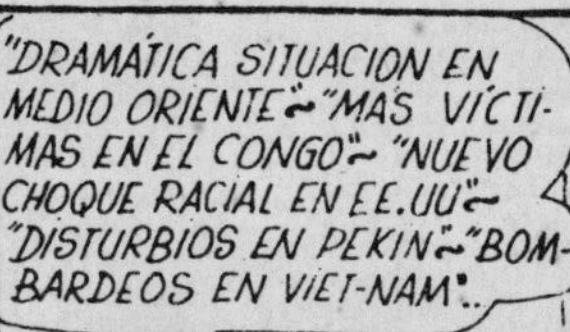
"DRAMÁTICA SITUACION EN MEDIO ORIENTE"–"MÁS VÍCTIMAS EN EL CONGO"–"NUEVO CHOQUE RACIAL EN EE.UU"–"DISTURBIOS EN PEKIN"–"BOMBARDEOS EN VIET-NAM"..

¡TUC!
¡TUC!
QUINO

¿TODAVÍA QUERÉS SALIR?
¡TUC!

823
¡TUC!
¡TUC!
¡TUC!

NO TE AMARGUÉS, BICHO; LA HUMANIDAD TAMBIÉN SE LAS VE EN FIGURILLAS PARA SALIR ADELANTE Y SER LIBRE
¡TUC!
¡TUC!

CLARO, LO QUE LA FRENA NO ES PRECISAMENTE UN VIDRIO
¡TOC!
¡TUC!

HABRÁS OÍDO HABLAR DE LOS "FACTORES DE PODER", SUPONGO

¿VES A ESTE POBRE BICHO TRATANDO DE SALIR Y SER LIBRE? ASÍ SOMOS LOS HUMANOS, SUSANITA
¡TUC!
¡TUC!
¡TUC!
824

¡TUC!
¡TUC!
¡TUC!

¿Y SI LO MATAMOS? ¿EEEEEH?

ASÍ SOMOS LOS HUMANOS, MAFALDA

VOY A TRAER EL BANQUITO, ASÍ LE ABRIMOS LA VENTANA A ESTE POBRE BICHO PARA QUE PUEDA SALIR DE UNA VEZ. NO PUEDO VERLO SUFRIR
NI YO
¡TUC!
¡TUC!
¡TUC!
825

¡TUC!
¡TUC!
¡TUC!
¡TUC!
¡TUC!

OTRO GESTO DE BONDAD SERÍA DARLE UNA ASPIRINA
¡TUC!
¡TUC!
QUINO

!
A-J
826

PÉREZ PÉREZ PEREZ
PÉREZ PÉREZ PÉREZ
PEREZ PÉREZ PÉREZ
PÉREZ PÉREZ PÉREZ
PÉREZ PÉREZ PÉREZ
PÉREZ PÉREZ PÉREZ
PEREZ PÉREZ PÉREZ
PÉREZ PEREZ PÉREZ
PÉREZ PÉREZ PÉREZ

PÉREZ PÉREZ PÉREZ
PÉREZ PÉREZ PÉREZ
PÉREZ PÉREZ PÉREZ
PÉREZ PÉREZ PÉREZ
PÉREZ PÉREZ PÉREZ
PÉREZ PÉREZ PÉREZ
PÉREZ PÉREZ PÉREZ
PÉREZ PÉREZ PÉREZ
PÉREZ PÉREZ PÉREZ
PEREZ PÉREZ PÉREZ

PÉREZ PEREZ PÉREZ
PÉREZ PEREZ PÉREZ
PEREZ PEREZ PÉREZ
PÉREZ PÉREZ PÉREZ
PÉREZ PÉREZ PEREZ
¡Y HAY MÁS!, ¡DIOS MÍO!...

LOS PÉREZ SON A LA GUÍA TELEFÓNICA LO QUE LOS CHINOS A LA POBLACIÓN MUNDIAL
A-J
QUINO

¡QUÉ BARBARIDAD, DIOS MÍO!...¡QUÉ BARBARIDAD!!
827

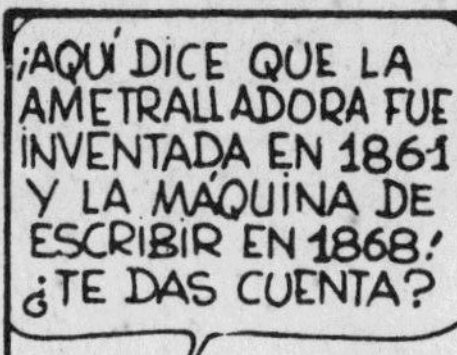
¡AQUÍ DICE QUE LA AMETRALLADORA FUE INVENTADA EN 1861 Y LA MÁQUINA DE ESCRIBIR EN 1868! ¿TE DAS CUENTA?

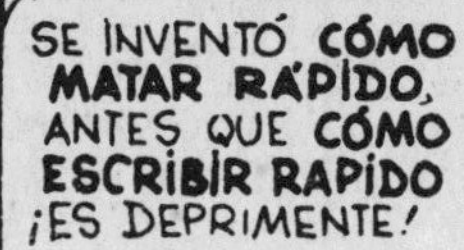
SE INVENTÓ **CÓMO MATAR RÁPIDO**, ANTES QUE **CÓMO ESCRIBIR RÁPIDO** ¡ES DEPRIMENTE!

DEPRIMENTE
DEPRIMENTE
DEPRIMENTE
DEPRIMENTE

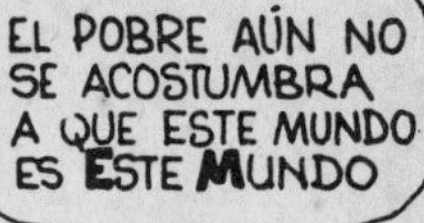
EL POBRE AÚN NO SE ACOSTUMBRA A QUE ESTE MUNDO ES **E**STE **M**UNDO

QUINO

"CONÓCETE A TÍ MISMO"
828

BUEN CONSEJO

PERO HOY NO TENGO GANAS DE ANDAR HACIENDO TURISMO POR ADENTRO MÍO
QUINO

¿QUÉ TE PARECE ESTA FRASE, FELIPE? "CONÓCETE A TI MISMO"
829

¡ME PARECE EXELENTE! ¡ES MÁS: DE HOY EN ADELANTE COMENZARÉ A PONERLA EN PRÁCTICA! ¡SÍ SEÑOR!

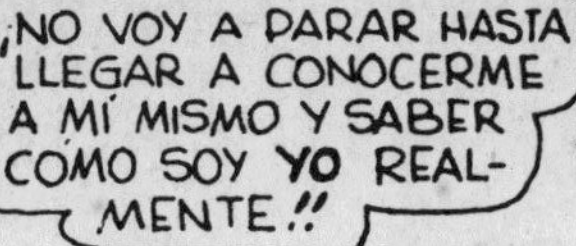
¡NO VOY A PARAR HASTA LLEGAR A CONOCERME A MÍ MISMO Y SABER CÓMO SOY YO REALMENTE!!

¡DIOS MÍO!...¿Y SI NO ME GUSTO?
QUINO

ESTE LIBRO TRAE UN BUEN CONSEJO, MIGUELITO: "CONÓCETE A TI MISMO"
¿A VER?
830

?

PERO..... ¿VIENE SIN NINGÚN ESPEJITO?

YA TE VEO CUANDO SEAS GRANDE, AL FRENTE DE TU CADENA DE SUPERMERCADOS, MANOLITO
¡¡MI FABULOSA CADENA DE SUPERMERCADOS!!
831

TENDRÁS MUCHOS EMPLEADOS
¡¡CIENTOS Y CIENTOS DE EMPLEADOS!!

QUE TRABAJARÁN FELICES PORQUE PAGARÁS BUENOS SUELDOS
¡¡¡PAGARÉ ESTUPENDOS SUELDOS!!!

¡MIRÁ LO QUE ME HACÉS DECIR!!
QUINO

¿POR QUÉ TANTAS MEDICIONES, FELIPE?
PORQUE QUIERO QUE ESTE AVION ME SALGA BIEN
832

YO, LO QUE QUIERO QUE ME SALGA BIEN ES LA VIDA

QUINO

ESTE MAPAMUNDI TIENE MUY LINDOS COLORES
834

HAY PAISES ROSADOS, ANARANJADOS, VERDES, AMARILLOS, LILAS,....
PAÍSES TODOS EN TONOS MUY BONITOS

... QUE NADA TIENEN QUE VER CON EL COLOR DE SUS· INTENCIONES
QUINO

PERO...¡LOS COLORES DE ESTE MAPAMUNDI ESTAN MAL!
¿TE PARECE?
835

¡CLARO, MIRÁ CHINA! ¡CHINA TENDRÍA QUE ESTAR AMARILLA!... ¡O ROJA!...

¡PERO RESULTA QUE ESTÁ VERDE!

¡POR SUERTE, MIGUELITO! ¡¡POR SUERTE!!
QUINO

¡LO ÚNICO QUE TE PREOCUPA ES EL ALMACÉN DE TU PAPÁ! ¿NO PODRÍAS PENSAR UN POCO EN OTRA COSA?
836

¿CÓMO ES POSIBLE QUE SÓLO TE INTERESEN LOS NEGOCIOS Y LA PLATA?

¿QUÉ SON PARA VOS TODAS LAS OTRAS COSAS LINDAS E IMPORTANTES DE LA VIDA?

¡SUPERFLUOSIDADES!
QUINO

"PLANTEO: SI UN ALBAÑIL LEVANTA 2 MTS. DE PARED EN 1/2 DÍA, ¿CUANTOS MTS. LEVANTARÁ EN 3 DÍAS?"

VEAMOS: 3 DÍAS SON 6 MEDIOS DÍAS, O SEA QUE....
837

6 MEDIOS DÍAS
X 2 METROS
SON 12 METROS
QUINO

Solución: levantará 6 ó 7 metros, porque en este país nadie quiere trabajar.

OJEANDO EL DICCIONARIO UNO APRENDE SIEMPRE COSAS NUEVAS
838
AYER, POR EJEMPLO, ENCONTRÉ QUE "*PORTANTILLO*" ES EL PASO CORTO Y RÁPIDO DEL BURRO Y OTROS ANIMALES

BUENO, ¿QUÉ DIABLOS LES PASA?

QUIERO ACLARARTE ALGO, MAFALDA
839
CUALQUIER PROBLEMA QUE LLEGUES A TENER, VENÍ A PEDIRME CONSEJO, QUE YO, CON MUCHO GUSTO, TRATARÉ DE AYUDARTE
Y NO ME AGRADEZCAS NADA, ¿EH? ¡TE LO RUEGO!
PORQUE ME ENCANTA QUE LA GENTE ME DÉ OPORTUNIDAD DE INMISCUIRME EN SU VIDA

ESTE LIBRO SE TERMINÓ DE IMPRIMIR EN OCTUBRE DE 1981 EN LOS TALLERES DE EDITORIAL OFFSET S.A. MÉXICO D.F.